CANT AC UN
Dalmasiwn

gan
Dodie Smith

Addasiad gan **Peter Bently**
Darluniau gan **Steven Lenton**
Addasiad Cymraeg gan **Elin Meek**

RILY

UN TRO roedd dau Ddalmasiwn o'r enw Pongo a Missis yn byw gyda Mr a Mrs Dearly mewn tŷ mawr yn y ddinas.

"Pongo annwyl," meddai Missis un diwrnod, "rydyn ni'n mynd i gael cŵn bach!"

Ond nid **un** ci bach yn unig gafodd Missis.

Na dau.

Na thri.

Cafodd hi **bymtheg** o gŵn bach!

Patshyn oedd y ci bach mwyaf. Roedd e'n gofalu am Cadbig, y ci bach lleiaf un.

Lwcus oedd y dewraf.

Ac roedd Roli Poli'n gwneud i bawb chwerthin.

Un diwrnod, daeth menyw i'r tŷ.
Cruella de Vil oedd ei henw hi.

"Am gŵn hyfryd!"
cyhoeddodd Cruella.
"Dwi'n mynd i'w
prynu nhw i gyd."

"Ond fyddwn ni
byth yn eu gwerthu
nhw," mynnodd
Mr Dearly.

"Trueni," meddai Cruella wrth iddi adael.
"Fe fydden nhw'n gwneud côt
ffwr fendigedig."

Chwyrnodd Pongo.

"Dwi ddim yn hoffi Cruella de Vil," meddai.

"Na fi chwaith," cytunodd Missis.
"Mae'n codi arswyd arna i."

Rai dyddiau'n ddiweddarach,
aeth Pongo a Missis am dro,
ond pan ddaethon nhw'n ôl,
cawson nhw sioc fawr . . .

Ble roedd y cŵn bach?

"Efallai eu bod nhw'n
cuddio," meddai Pongo

Ond doedden nhw
ddim yn y tŷ.

"Mae fy nghŵn bach i wedi **cael eu dwyn!**" llefodd Missis.

Ffoniodd Mr a Mrs Dearly yr heddlu . . .

. . . a rhoi hysbysebion yn y papurau newydd.

Ond doedd dim sôn amdanyn nhw.

Y noson honno, eisteddodd Pongo
a Missis ar fryn gerllaw a chyfarth.

"Help!"

"Mae pymtheg Dalmasiwn

wedi'u dwyn!"

Clywodd llawer o gŵn eu cri.
Ond doedd neb wedi gweld y cŵn bach.

Ond yna, o bell, clywon nhw lais hen gi defaid.

"Dwi wedi gweld eich cŵn bach chi," cyfarthodd yn gryg.

"Maen nhw mewn tŷ o'r enw Plas Uffern!"

"Rhaid i ni fynd yno a'u hachub nhw!" llefodd Missis.

"Rwyt ti'n llygad dy le!" meddai Pongo. "Fe awn ni heno!"

Pan oedd Mr a Mrs Dearly yn cysgu,
sleifiodd Pongo a Missis allan o'r tŷ.

Rhedon nhw nerth eu pawennau drwy'r
strydoedd rhewllyd ac allan i'r wlad.

Ymlaen ac ymlaen, drwy bentrefi cysglyd a chaeau dan lwydrew.

O'r diwedd cyrhaeddon nhw Blas Uffern. Cafodd y ddau
groeso cynnes gan yr hen gi defaid. Y Cyrnol oedd ei enw.

"Am dŷ brawychus!" meddai Missis.

"Mae'n perthyn i fenyw o'r enw Cruella de Vil," meddai'r Cyrnol.

"Ro'n i'n amau!" meddai Pongo. "Cruella aeth â'n cŵn bach ni!"

Roedd wal uchel o gwmpas y tŷ.
Sut gallai'r cŵn fynd i mewn?

Arweiniodd y Cyrnol Pongo a
Missis i mewn i hen dŵr.

Pan gyrhaeddon nhw ben y tŵr, cafodd
Missis gip drwy'r ffenest ac ebychodd.

Roedd hi'n gallu gweld ei chŵn
bach hi - a dwsinau o rai eraill!

"Mae Cruella wedi bod yn casglu
Dalmasiwns bach," eglurodd y Cyrnol.
"Mae hi eisiau eu troi nhw i gyd yn
gotiau ffwr smotiog."

"Rhaid i ni eu hachub nhw, bob un!"
meddai Missis.

Daeth dau ddyn allan o'r tŷ.

"Dyna Saul a Jasper," meddai'r Cyrnol.
"Nhw sy'n gwarchod y cŵn bach i Cruella,
ond maen nhw'n treulio'r rhan fwyaf o'u
hamser yn gwylio'r teledu."

Y noson honno, sleifiodd Pongo a Missis at y tŷ.
"Lwcus!" gwaeddodd Missis.

"Mam! Dad!" ebychodd Lwcus.
"Ro'n ni'n gwybod y byddech
chi'n dod! Dewch, awn
ni at y lleill. Os byddwn
ni'n dawel, fydd Saul a
Jasper ddim yn sylwi."

Yn sydyn, clywon nhw lais y tu allan i'r drws.

"Saul!

Jasper!

Ble ry'ch chi?"

Safodd Pongo a Missis yn stond. Roedd y llais yn gyfarwydd.

Cruella de Vil oedd hi!

"Mae'r wlad gyfan yn chwilio am y cŵn bach yna!" chwyrnodd Cruella.

"Rhaid i chi eu troi nhw'n gotiau ffwr smotiog heno!" Caeodd y drws yn glep a mynd lan lofft i'r gwely.

"Bydd hi'n cymryd oes i gael gafael ar yr holl gŵn bach!" cwynodd Jasper. "Gad i ni wylio rhagor o deledu'n gyntaf."

"Dyma ein cyfle ni i ddianc!" sibrydodd Pongo
wrth Missis, gan arwain y cŵn bach allan
drwy ffenest y gegin.

Wrth adael, dyma nhw'n llowcio'r bwyd i gyd.

"Fydd dim briwsionyn ar ôl i Cruella!"
chwarddodd Pongo.

"Dyna mae'n ei haeddu!"
meddai Missis.

Ymhen dim o dro,
roedd y Dalmasiwns
i gyd ar ochr draw'r wal.

"Mae Cruella'n siŵr o ddod ar eich holau,"
meddai'r Cyrnol. "Gadewch ar unwaith."

"Mae'n ffordd hir i fynd adref," gwgodd Missis.
"Mae'r cŵn yn rhy fach i gerdded mor bell, yn enwedig Cadbig."

"Peidiwch â phoeni," gwenodd yr hen gi defaid.
"Gall Cadbig fynd yn y cart yma!"

"Syniad da," cytunodd Pongo.
"**Diolch o galon** am eich help!" meddai Missis.

"Croeso mawr," meddai'r Cyrnol.
"Hwyl fawr,
a phob lwc!"

Rhedodd y Dalmasiwns
nerth eu pawennau bach
dewr drwy'r tywyllwch.
Ond cyn hir, dechreuodd
y cŵn oeri a blino.
Ac yna daeth yr eira.

Chyrhaeddwn ni byth mo'r ddinas," ebychodd Pongo.

BIB! BIB!

"Car Cruella yw hwnna!" llefodd Missis.

"Mae'n dod y ffordd yma!"

Roedd Cruella'n dod yn nes, ond doedd unman i guddio.

Yna sylwodd Missis ar fan fawr wedi'i pharcio gerllaw.
Yn eistedd yng nghefn y fan roedd daeargi bach.

"Help!" cyfarthodd
Pongo. "Mae rhywun
yn ein dilyn ni!"

"Chi yw'r Dalmasiwns sydd ar goll!" meddai'r daeargi.
"**Dewch**, neidiwch i mewn!"
Cael a chael oedd hi, ond llwyddodd y Dalmasiwns
i ddringo i gefn y fan
mewn pryd.

DE VIL

Gwibiodd
Cruella yn syth heibio iddyn nhw . . .
"Edrychwch!" gwaeddodd Missis. "Mae hi'n sgidio!"

CLATSH!

Llithrodd car Cruella oddi ar
y ffordd ac i'r ffos.

"Go dda!" chwarddodd y daeargi.

"Mae fy ngyrrwr yn mynd i'r ddinas.

Ydych chi eisiau dod?"

"Ydyn, plis!" meddai Pongo a Missis.

Roedd hi'n bwrw eira'n drwm pan glywodd Mr a Mrs Dearly
sŵn cyfarth. Rhuthron nhw at y drws –

a dyma ddwsinau o
Ddalmasiwns yn rhedeg i'r tŷ!

"Pongo a Missis a'u cŵn bach sy 'na!" gwaeddodd Mr Dearly.

"A sawl ffrind bach arall hefyd!" chwarddodd Mrs Dearly.

A dechreuon nhw eu cyfrif i gyd.

I Tara, sy'n caru cŵn.
P.B.

I Steven x
S.L.

RILY

Cyhoeddwyd gan Rily Publications Ltd 2017
Rily Publications Ltd, Blwch Post 257, Caerffili CF83 9FL

Hawlfraint yr addasiad © Rily Publications Ltd 2017

Addasiad gan Elin Meek

ISBN 978·1·84967·384·6
Cyhoeddwyd gyntaf ym Mhrydain Fawr yn 2017
dan y teitl *The Hundred and One Dalmatians* gan Egmont UK Ltd.
Testun wedi'i seilio ar *The Hundred and One Dalmatians*
Hawlfraint y testun © 1956 Ystad Dodie Smith
Hawlfraint y darluniau © Steven Lenton 2017

Mae'r cyhoeddwr yn cydnabod cefnogaeth ariannol Cyngor Llyfrau Cymru

www.rily.co.uk